Para Isa, Olivia y Frida. Claro que sí

La increíblemente alucinante historia de Marcial, el niño normal

© del texto e ilustración: José Fragoso, 2017
© de esta edición: Narval Editores, 2017
@ de la introducción: Benjamin Schwartz, 2017
Primera edición: enero de 2017

www.narvaleditores.com

ISBN: 978-84-944642-7-0
DL: M-1757-2017

Impreso en España: Grafisur

LA INCREÍBLEMENTE ALUCINANTE HISTORIA DE MARCIAL, EL NIÑO NORMAL

JOSÉ FRAGOSO

Querido lector:

Hoy es tu día de suerte. Estás a punto de leer la historia de un niño increíble, excepcional y fantásticamente NORMAL llamado Marcial. Ya verás, es una historia única. Pero antes, acércate porque tengo que contarte un secreto. Un poco más cerca. ¿Estás listo? De acuerdo, allá va…

¿Conoces a José Fragoso, el autor e ilustrador de este libro que tienes en tus manos? Déjame contarte, José NO es normal. José es ¡EXTRAORDINARIO!

En serio, ¿sabes lo difícil que es para un adulto capturar el alucinante mundo de un niño como Marcial? Se requiere un talento excepcional y José lo tiene de sobra. Como escritor, como artista y, tengo la suerte de poder decir, como amigo, José está por encima del resto. Afortunadamente, también es generoso como para compartir su talento con todos nosotros. Y esto me hace pensar, ¿qué haces leyendo estas aburridas palabras cuando podrías estar leyendo este cuento tan cuidadosamente creado por José?

Un saludo,

Benjamin Schwartz
Ilustrador de la revista *The New Yorker*

Dear Reader,

You are in for a treat. You are about to read the story of an amazingly, exceptionally, fantastically NORMAL kid named Marcial. And boy, is it a doozy of a tale. But first, come closer because I have a secret for you. Closer. Ready for it? OK, here it goes…

You know José Fragoso, the author and illustrator of this very book that you're holding? Well, José is NOT normal. Jose is EXTRAORDINARY!

Seriously, do you know how hard it is for a grown up to capture the awesome world of a plain old kid like Marcial?! It takes exceptional talent, and Jose has it in spades. As a writer, as an artist, and (I'm lucky enough to say), as a friend, José is a cut above the rest. Fortunately, he's also generous enough to share his talents with the rest of us. Which reminds me: why are you reading my boring words when you could be reading José's carefully crafted tale???

Best,

Benjamin Schwartz
Cartoonist for *The New Yorker* magazine

Marcial era un niño de lo más normal.

Tenía el pelo revuelto

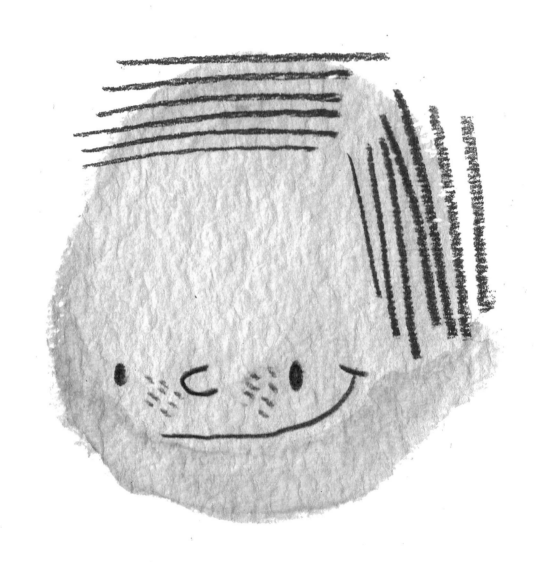

y su madre se lo peinaba con raya,

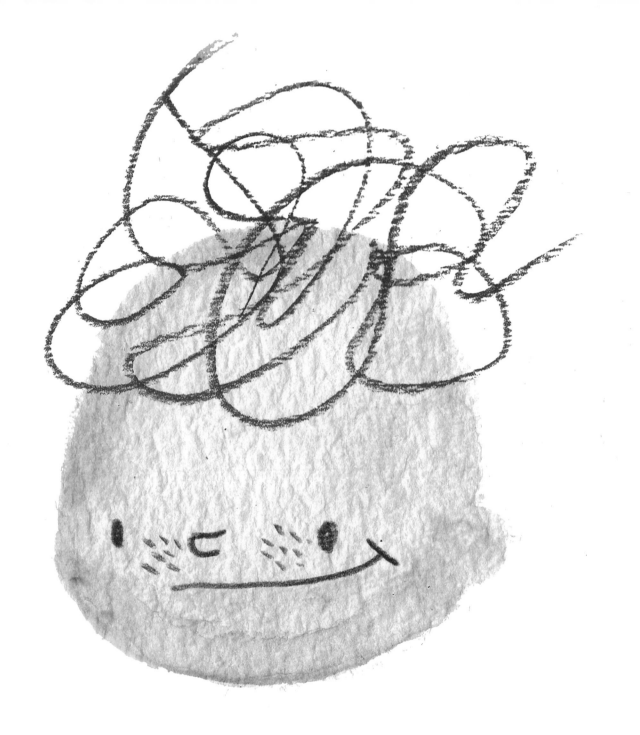

pero se le volvía a despeinar.

Le gustaban los espaguetis con tomate,

pero no le gustaban nada las acelgas.

Normal.

A Marcial le encantaba jugar
con su perro Trismo.

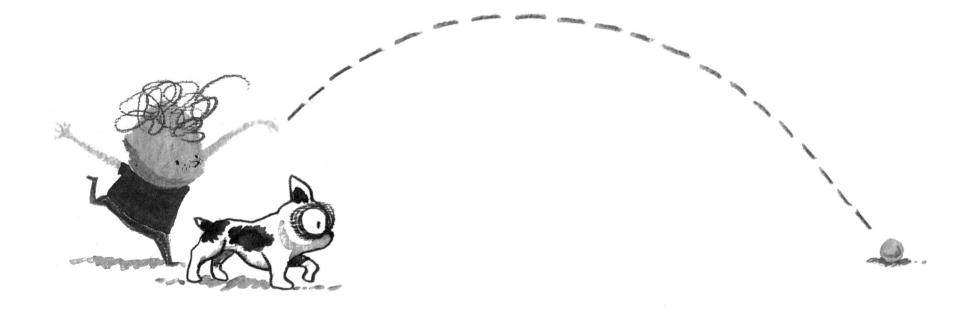

Le tiraba una pelota para que se la trajera,

pero Trismo era mayor y veía poco.

En clase escuchaba al profesor,

pero a veces se aburría.

Prefería jugar al fútbol en el recreo.

Lo normal.

Y lo que menos le gustaba del mundo
era hacer los deberes.

Como es normal.

Pero un día sintió que ya no era un niño normal.

Cuando miraba las cosas...,

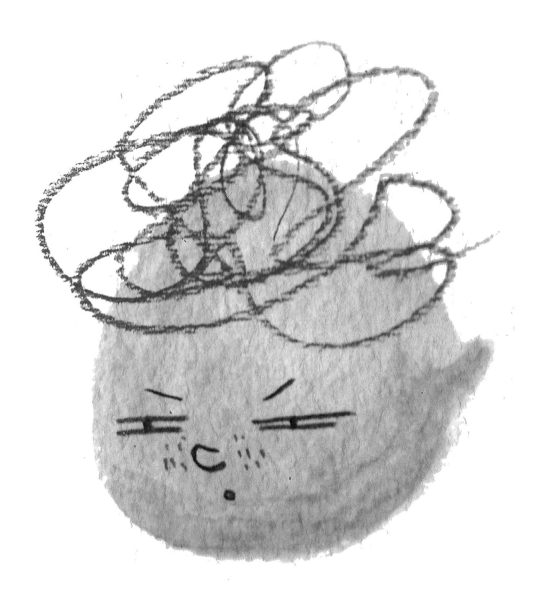

ya no parecían las mismas.

Trismo seguía sin traer la pelota,

pero podía localizarla con su visión de radar.

Las clases
ya no eran tan aburridas

porque las daba un monstruo
de seis cabezas.

Los recreos
seguían siendo divertidos,

pero ahora más.

A la hora de comer,

las acelgas bailaban para él.

Los deberes eran más divertidos que nunca.

Y en su pelo había...

serpientes de cascabel enfurecidas.

Pero ¿por qué lo que antes era normal...,

ahora era genial?

¡Emocionante!

¡Increíble!

¡Alucinante!

Desde que Marcial empezó a IMAGINAR,

ya nada volvió a ser normal.

Fin.